Alicia en el país
de las maravillas

—¡Alicia! ¿Me oyes?
No, Alicia no escucha.
Está muy distraída observando
a un curioso conejito blanco
que parece tener mucha prisa...

—¡Espere, señor Conejo!
¿Adónde va usted tan deprisa?

—¿Pero qué me sucede?
Parece que estoy cayendo
al centro de la Tierra.
¡Dios mío!
¡Esta caída nunca terminará!

¡Alicia no puede creerlo! De pronto se encuentra dentro de una pequeña habitación y ve que el señor Conejo Blanco... ¡se escapa!
"¡Ojalá pudiera seguirlo!", piensa, pero es imposible:
"¡Soy demasiado grande!"

De repente, Alicia ve una botellita y,
sin pensarlo dos veces, toma rápidamente
el líquido que contiene. Enseguida, empieza
a hacerse pequeñita, pequeñita,
tan pequeñita que...

...la arrastra la corriente de lágrimas
que ella misma había derramado
cuando estaba grande.

Por fin llega a un maravilloso
jardín poblado de seres muy extraños.
—¿Dónde estará el señor Conejo?,
se pregunta.

Al fin lo encuentra. Ahora el Conejo
Blanco y su amigo el sombrerero
invitan a Alicia a tomar
una taza de té.

—¿Por qué tenemos que pintar
de rojo esas flores?
Alicia, asombrada, se da cuenta
de que está hablando...
¡con las cartas de una baraja!

a reina invita a Alicia a jugar una partida de bolos. ¡Qué juego más extraño!

¡Los mazos son flamencos y los bolos, erizos!

—¡Que le corten la cabeza!,
dice la reina muy enojada.
—¡No, por favor, eso no!,
Alicia no está muy de acuerdo...

—¡Vamos, Alicia, despierta! ¡Estás soñando!
Pues sí: Todo
ha sido un
sueño.

"¡Qué aventura tengo que
contarles...!", piensa Alicia.